16-17
…r thóir mo dhinnéir féin

18-19
Tá mé fásta anois

20-21
Rothaí an tsaoil

22-23
Mo chairde ar fud an domhain

24
Foclóirín

Is coinín mise

Tá dhá chluas mhóra agus eireaball bog orm. Tá mo chosa deiridh láidir agus cabhraíonn siad liom rith agus léim. Coinníonn mo chóta fionnaidh deas te mé.

Baineann an coinín úsáid as a shrón le contúirt a sheachaint.

Tá crúba láidre go maith le dul ag tochailt leo.

Tá fionnadh breá tiubh ar an gcoinín.

Ag rith

Tá an coinín chomh tapa agus go bhfuil sé in ann coinneáil leat agus tú ar do rothar.

Dúisígí!

Tá sé in am dul ag léim.

Mo mhamaí agus mo dhaidí

Seo é daidí

Seo í mamaí

Tá a mbaile déanta ag mamaí agus daidí faoi chrann mór. Cónaíonn siad i dtolláin faoin talamh le coiníní eile. 'Coinicéir' a thugtar ar na tolláin sin.

Nuair a chasann coiníní ar a chéile, bíonn siad ag bolú dá chéile agus ag cuimilt srón a chéile.

s é an poll seo
éal an
olláin

An raibh a fhios agat?

- Ní fhanann mamaí agus daidí le chéile nuair a bheirtear na coiníní óga.
- Bíonn coiníní ag obair le chéile chun na tolláin a dhéanamh.
- Fuarthas coinicéar i Sasana a raibh 1,027 poll le dul isteach agus amach ann.

Seo é mo bhaile

Nuair a chasann mamaí agus daidí ar a chéile, déanann siad seomra mór teolaí faoin talamh, áit a mbéarfar sinn. Seo é ár nead.

Ag bailiú

Bailíonn an coinín féar, cleití agus fionnadh le nead a dhéanamh.

Féach an leaba dheas a rinne mamaí dúinn!

Tá an coinicéar
sábháilte mar bhaile.
Ní bhíonn sé éasca
ag ainmhithe móra a
mbealach a dhéanamh
isteach ann.

Istigh sa nead

Bíonn mo shúile dúnta agus ní bhíonn aon fhionnadh orm nuair a bheirtear mé. Fanaimid gar dá chéile sa nead dheas theolaí a rinne mamaí dúinn.

Ag fás

Bíonn na coinníní óga an-lag ar dtús agus is ar éigean a bhíonn siad in ann corraí. Osclaíonn siad a súile tar éis 10 lá.

Codladh mór

Nuair nach mbíonn siad ag ithe, bíonn na coiníní óga ina gcodladh an chuid is mó den am.

Bíonn fionnadh tiubh ar na coiníní tar éis coicíse.

Ag éirí fiosrach

Tar éis trí seachtaine is maith linn a bheith ag rith agus ag léim istigh sa choinicéar. Is fada linn go mbeimid in ann dul amach sa domhan mór.

Bainne mhamaí

Tugann mamaí bainne do na coiníní óga. 'Beathú' a thugtar air seo. Uair in aghaidh an lae a bheathaítear na coiníní óga.

An raibh a fhios agat?

Is faoi thalamh a chaitheann an coinín an chuid is mó dá chuid ama. Tagann sé aníos go barr talún chun dul ag ithe, le héirí agus dul faoi na gréine.

Tá an coinín in ann fuaimeanna go leor a chloisteáil nach gcloiseann an duine.

Tá na coiníní óga sách anois agus tá codladh orthu.

Tá mé mí d'aois

Tá sé in am agam léim aníos as mo pholl. Fanaim féin, mo dheartháireacha agus mo dheirfiúracha gar do bhéal an tolláin ar eagla go mbeadh orainn rith síos ar ais arís!

Bioraíonn na coiníní beaga a gcluasa nuair a bhíonn siad ag faire ar naimhde.

Is deas teolaí é an gaineamh le suí air.

Aire dhuit!

Bíonn na coiníní óga san airdeall nuair a fhágann siad an coinicéar. Is breá blasta an béile iad d'iolair, do shionnaigh agus d'easóga.

Téann súile an choinín i dtaithí ar sholas an lae go tapa.

Ar thóir mo dhinnéir féin

Tá mé mór go leor anois le dul sa tóir ar bheatha as mo stuaim féin. Is breá liom plandaí glasa duilleogacha. Faighim plandaí blasta le hithe i bpáirceanna agus i ngairdíní.

Seo áit mhaith le dinnéar a ithe.

Scoth an bhia

Itheann coiníní gach saghas planda. Is breá leo caisearbháin, duilleoga na meacan dearg, féar agus peirsil.

Íosfaidh coiníní plandaí duilleogacha cosúil le biatas bán, is cuma cá bhfaigheann siad iad, fiú amháin i do ghairdín!

Tá mé fásta anois

Bím i mo choinín fásta tar éis dhá mhí. Caithim an lá ag rith sna páirceanna ar thóir rudaí deasa le hithe. Is gearr go mbeidh sé in am agam clann de mo chuid féin a bheith agam.

Bolaíonn coiníní de phlandaí le fáil amach an bhfuil siad go deas le hithe.

Am níocháin
Bíonn coiníní á ní agus á slíocadh féin an chuid is mó den am.

Tá a fhios acu ón mboladh atá ar an gcam an ime seo nach bhfuil sé go deas le hithe.

Saol teaghlaigh

Cónaíonn coiníní móra le chéile i ngrúpa. Nuair a thagann coiníní nua ar an saol, fanann siad sa ghrúpa.

Casann rothaí an tsaoil

Tá a fhios agat anois conas a d'fhás mé i mo choinín.

Slán leat. Ag léim liom!

Mo chairde ar fud an domhain

An bhfeiceann tú cén fáth go dtugtar mionchoinín gorm air seo?

Cabhraíonn a chluasa móra leis an ngiorria fireann fanacht fionnuar sa ghaineamhlach.

Tá go leor fionnaidh ar an gcoinín angóra seo, agus tá tom fionnaidh ar bharr a chluasa!

Tá dath bán ar an ngiorria sléibhe agus ní fheiceann a naimhde é sa sneachta.

Bíonn gach saghas cuma agus cruth ar mo chairde.

Is breá le daoine an coinín Dúitseach mar pheata. Bíonn sé deas lách, séimh.

Tá cluasa ar an gcoinín spadchluasach a théann síos go talamh.

Níl an pioca bídeach ach chomh mór le hamstar!

Tá moing fhionnaidh ar bharr a chinn ar an gcoinín leoncheannach.

Tá cosa móra millteacha ar an ngiorria sléibhe a chabhraíonn leis rith sa sneachta.

An raibh a fhios agat?

- Fásann fiacla an choinín ar feadh a shaoil. Bíonn sé ag cogaint adhmaid chun iad a choinneáil deas gearr.
- Nuair a bhíonn an coinín sásta, is maith leis a bheith ag léim ar fud na háite.
- Is ar maidin agus tráthnóna is gníomhaí a bhíonn an coinín.

Foclóirín

Coinicéar
Tolláin faoi thalamh a gcónaíonn coiníní iontu.

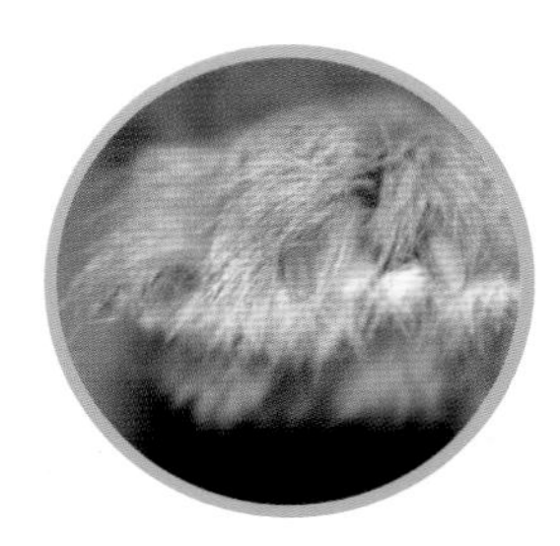

Crúb
Ionga ghéar a chabhraíonn leis an gcoinín agus é ag tochailt.

Nead
Áit sa choinicéar ina dtagann coiníní óga ar an saol.

Piscín
An t-ainm a thugtar ar choinín nach bhfuil mí d'aois fós.

Cuain
Scata coiníní óga a bhíonn ag máthair amháin.

Grúmaeireach
Nuair a níonn an coinín a fhionnadh leana theanga.

Creidiúintí
Ba mhaith leis an bhfoilsitheoir buíochas a ghlacadh leo seo a leanas faoina gcaoinchead a gcuid grianghraf a fhoilsiú: (Eochair u-uachtar, l-lár, í-íochtar, c-clé, d-deis, b-barr).
Warren Photographic: Jane Burton, l íc. 2-3 Bruce Coleman Ltd: William S. Paton í & l. 2 DK Images: Jane Burton í. 3. Oxford Scientific Films: Jorge Sierra Antinolo íd. 4-5 DK: Jeoff Dann. 4. DK Images: Dave King c; Steve Moore Photography d; Bruce Coleman Ltd: William S. Paton í.
5 Bruce Coleman Ltd: William S. Paton íd; FLPA - Images of nature: David Hosking ud; Steven Moore Photography bc; Warren Photographic: Jane Burton íc. 6-7 Corbis: Terry W. Eggers b; DK Images: Steve Shott í; 6 DK Images: Steve Shott l; Jane Burton ld; Bruce Coleman Ltd: Colin Varndell íc. 7 Corbis: Phillip Gould bl. 8-9 Corbis: Terry W. Eggers b; DK Images: Steve Shott í. 8 Corbis: Phillip Gould; Oxford Scientific Films lc. 9 DK Images: Steve Shott bcí. 10-11 Oxford Scientific Films.10 Bruce Coleman Ltd: Jane Burton tl, c; Warren Photographic: Jane Burton bd. 11 Bruce Coleman Ltd: Jane Burton bd.
12 DK Images: Steve Shott c. 12-13 Oxford Scientific Films: Maurice Tibbles.
14-15 Bruce Coleman Ltd: William S. Paton. 15 DK Images: Frank Greenaway dlu; Jerry Young dl; Oxford Scientific Films: íd. 16-17 Steven Moore Photography. 16 DK Images: Ian O'Leary c; FLPA - Images of nature: Tony Hamblin íd. 17 Royalty Free Images: Photofrenetic/ Alamy bd; DK Images: Jacqui Hurst íd. 18-19 Bruce Coleman Ltd: Colin Varndell. 18 FLPA - Images of nature: Tony Hamblin íd. 19 Oxford Scientific Films: Mike Powles bd. 20 Bruce Coleman Ltd: Jane Burton bl, bdí; Corbis: Tony Hamblin íc; DK Images: Barrie Watts íl; Geoff Dann bc; Jane Burton lc; Warren Photographic: Jane Burton bd, ld, ldí, c. 21 Steven Moore Photography bkg; Oxford Scientific Films: Jorge Sierra Antinolo l. 22 DK Images: Jane Burton bc; Steve Shott lc; Oxford Scientific Films: Paul Berquist bd; Warren Photographic: Jane Burton l. 22-23 Powerstock: Superstock. 23 Corbis: George D. Lepp bdí; DK Images: Steve Shott bd; FLPA - Images of nature: Terry Whittaker lcu; Steven Moore Photography: íd; Warren Photographic: Jane Burton lc. 24 Bruce Coleman Ltd: Jane Burton ld, íl; DK Images: Steve Shott bc, lc; Steven Moore Photography: bd.